Überm Strich

Dmitrij Kapitelman

D1995500

NOVELLIX
— stories to go —

www.novellix.com / de

Dmitrij Kapitelman: *Überm Strich*
Basierend auf dem gleichnamigen Text,
erschienen in DIE ZEIT, 27.10.2022
© DIE ZEIT

© Novellix 2025
Novellix, Bondegatan 11, 116 23 Stockholm
info@novellix.com
Covergestaltung: Lisa Benk
Motiv: Caspar David Friedrich
Wiesen bei Greifswald bpk, Hamburger
Kunsthalle, Elke Walford
Druck: Livonia Print, Riga 2025
ISBN: 978-91-7589-727-1

FSC
www.fsc.org
MIX
Papier | Fördert
gute Waldnutzung
FSC® C002795

EMMI UND ICH, wir haben ein Wunder erlebt. Ein Ereignis, das alles in unseren Zeiten möglich Scheinende überstieg: Wir haben eine Wohnung in Berlin gefunden! Eine mehr als schöne, geräumige, bezahlbare Altbauwohnung mitten in der Hauptstadt. Verliebt und endlich verschlüsselt, die Sterne höchstpersönlich stiegen an jenem Abend der Vertragsunterzeichnung zu uns herab, legten sich sanft in die Bläschen des Sekts und schwangen im süßen Tanz der Träume mit uns.

Es gibt ein Foto von diesem Abend, die seligen Traumtänzer darauf gibt es inzwischen nicht mehr. Denn sechs Monate später würde ich unterschreiben, dass Wunder auch nur eine Kulmination diverser Realfaktoren sind, deren Bewertung durchaus ambivalent ausfallen kann. Offener gesprochen: Wir wollen bloß noch weg. Emmi lebt derzeit mehr mit der ImmoScout24-App zusammen als mit mir. Das mit Abstand beste und liebenswerteste Quartier, in dem ich je meine Unterhosen sowie mich selbst lagern durfte, ist gleichzeitig dasjenige, aus dem ich am liebsten sofort entkommen würde.

Diese Geschichte aufzuschreiben ist daher nicht nur paradox, sie ist für mich in Anbetracht der Nöte ringsherum auch mit sozialer Scham behaftet, vielleicht sogar unberechtigt. Andererseits womöglich unterhaltsamer Trost für die Scharen Suchender, in der Warteschlange der Wunder. Außerdem glaube ich, zuletzt einiges über Lebensqualität gelernt zu haben und nun teilen zu können.

Im vergangenen Frühjahr stand da also plötzlich dieser Märchenonkel-Vermieter. Ein gütig gealterter Musikprofessor, der eben auch etwas Kapitalismus und Immobilien am Zaubermantel hängen hatte. „Solche Wohnungen gibt es gar nicht mehr auf dem Markt, mein Herz. Die ist einfach unglaublich, das dürfen wir nicht vergeigen", warn-schwärmte Emmi. Und zupfte mich vor der

Besichtigung zurecht, damit ich wie ein echter Mensch aussehe. „Bei Ihnen habe ich ein gutes Bauchgefühl", ließ der Herr Märchengeschäftspartner uns schon nach wenigen Minuten wissen (und sah dabei eigentlich nur die einzige Emmi an). Indes mahnte mein Bauchgefühl zu Skepsis. Es witterte wohl, dass das hier kein guter Ort sei. Dass um den stolzen Stuck herum das Unglück schleiche.

Natürlich hatte ich die ganzen professionellen Sex-Anbieterinnen direkt vor dem Fenster registriert. Ebenso das dubiose, mit Graffiti bedeckte Haus gegenüber. Vielleicht bewohnt, vielleicht nicht, wahrscheinlich tagesformabhängig. Aber was erwartet man in einer Großstadt? Glücklich grasende Kühe vor der U-Bahn-Station? Sozialquartiere aus Samt? Die Zuweisung eines persönlichen Leibarztes bei Anmeldung im Bürgeramt? Ungefähr mit diesen Gedanken versuchte ich mein Bauchgefühl zum Schweigen zu bringen – stattdessen einen inneren neoliberalen Bluthund heraufbeschwörend. Und ist nicht die Härte ringsherum, der gnadenlose Gigantismus, das unaufhörliche Weiterfunktionieren, die Anonymität einer Großstadt genau das, was eine Liebe in ihr so romantisch macht? All die Millionen Menschen überall, doch ohne dich wäre sie leer. Lichtenberg beispielsweise, Lichtenberg im Osten der Stadt, ein unansehnliches Moloch aus Plattenbauten. Aber mit Emmi händchenhaltend aus dem Tierpark dort spazierend, da färbten sich die Platten ringsherum rosa im Sonnenuntergang. Und öffneten den Blick auf weite strahlende Alleen, auf die Berliner Siegessäule, auf unendlichen Raum für unsere Träume in dieser riesigen Stadt. Warum sollte es uns nicht gelingen, auch diesen Ort zu romantisieren? Zumal mit Stuck! Nirgendwo, auch in keiner Straße, ist alles schlecht; das Schlechte kann man doch nur dank Lichtblicken erkennen. Irgendwie so. Und früher oder später würden wir uns hier eh mit der Gentrifizierung gemein machen. Das Wunder wurde als *Beletage* eingestuft, ist aber Erdgeschoss. Erdgeschoss auf einem von Berlins berüchtigtsten Straßenstrichen. Aber weiter wusste ich nicht, was ich denken sollte. Mitten in dieser Verwirrung fing ich zudem Emmis ebenso bangen wie hoffnungsvollen Blick auf. Mein Gott, sie hatte ja recht, was gab es noch zu überlegen? Das ausladende Wohnzimmer, in der Seele eher Salon, mit seinem zweimannsgroßen Fenster. Irre. Mitmieten würde man dann auch die edlen, altehrwürdigen Kronleuchter. Bei all ihrer kristallin schimmernden Historizität ganz modern mit Reglern dimmbar. Wie viele weiße Flügeltüren waren das jetzt noch mal? Ach, wer hat schon die Zauderzeit, Flügeltüren zu zählen, wenn die Wunderwohnung sich selbst in West- und Ostflügel teilen lässt. Eine Badewanne und ein Duschareal – wie bei Magnaten!

Vor dem Fenster umstellten derweil zwei Männer mit Red-Bull-Dosen in ihren Händen eine blonde junge Frau. Drängten ihr fünfzig Euro auf, drückten ihr den Geldschein an die Schulter und schienen dafür zu verlangen, dass sie mit ihnen beiden gleichzeitig Sex hat. Was sie ablehnte. Da gingen die beiden zur anderen Straßenseite und umstellten die nächste Anbieterin. Ich bin eigentlich keiner, der von Energien quacksalbert. Höchstens von Wundern, um Texte zu verkaufen. Aber das war ganz sicher keine gute Energie hier. Doch ein Nein jetzt, da würde die einzige Emmi doch denken, dass ich nicht mit ihr zusammenleben will! Nach all den Monaten trostloser Suche. Dass es gar nicht an der Wohnung liegt, wenn ich so kurz vor unseren ersten gemeinsamen vier Wänden – und dann noch derart illustren – ausschere. Dann fiele womöglich das R vom Wunder ab, und uns bliebe nur diese. Außerdem, was wartete denn da draußen alternativ? Der unerbittliche, jegliche Dignität degradierende, doppelt und dreifach desaströse Mietmarkt deutscher Großstädte. Vermieter, die uns Schlange stehende Masse mit Megafonen umherscheuchten. Schufa-Score, Aktienportfolio, Psychogramm und Nacktfotos zur Selbstauskunft beifügen. Danke schön, der Eigentümer schaut sich das dann an. Nur zu Ihrer Information: Mit der Kaution würden dann auch noch zehn Jahre Frondienst für unsere Firma fällig werden.

Offenbar muss ein Missstand nur lange genug bestehen, um irgendwann lediglich als Zustand wahrgenommen und mosernd mitgetragen zu werden. Anders kann ich mir nicht erklären, dass die meisten Leute am Schluss dieser strukturellen Shitshow mit Esel-Lächeln schwärmen: „Wir haben total Glück gehabt mit unserer Wohnung!" (Emmi und ich vor sechs Monaten: „Wir haben total Glück gehabt mit unserer Wohnung!")

Nein, genug ist genug. „Emmi, gibst du mir mal den Stift, bitte?"

Unterschrieben.

Um mit dem uns vergönnten Wunder Schritt zu halten, gingen Emmi und ich Extrameilen. Saßen täglich beim Baumarkt, in höchster Gewissenhaftigkeit, Wandfarben diskutierend. Beschäftigt, beladen, beflügelt. Selbstverständlich suchte Hermann Hesse die Seele des deutschen Immobilienwesens, als er schrieb: „Jedem Anfang wohnt ein Zauber inne."

Welcher Ausdruck in den Augen der Prostituierten lag, als wir mit den frisch gemischten Eimern „Farbspiel Matt Sonora 2A" die Straße heimrammelten, da bin ich mir nicht sicher. Sogar einen gelernten Maler engagierten wir, um den schönen weißen Stuck an den hohen Decken nicht zu verhunzen. Und durchlitten dafür Klassenkrämpfe, uns wie bourgeoise Bonzen vorkommend. Die einzige Emmi kennt Geflüchtetenheime, kennt Hausen in der elfgeschossigen Platte, kennt ganz grundsätzlich Verlorenheit. Ein paar Tage nach unserem Einzug saß sie in einem Meer unausgepackter Umzugskisten und weinte vor Freude: „Wie kann es sein, dass wir nun so wunderschön leben?" Ich kenne diese sozialen Stationen auch. Und nun strich ein Mann aus Syrien unsere Wände, der wahrscheinlich schlimmere Zwangsorte kannte, und zwar noch viel unmittelbarer. Regelrecht versteckt haben wir uns dann vor „unserem Arbeiter“ und immer so getan, als wären wir wahnsinnig beschäftigt mit irgendwas.

Eines Abends, als Emmi schlief, bin ich vom einen Flügel der Wunderwohnung in den anderen gelaufen und habe Schritte gezählt (47, glaube ich). Dabei versuchend, mir selbst besonders bedeutsam folgendes Narrativ vorzuführen: Vom Rost in der Platte zum Palast in Mitte. Die Zeiten sind nun andere für dich, mein alter Junge. Nur so ganz abgekauft habe ich mir das Wundergewisper nicht. Zumal ziemlich brutales Gebrüll von der Straße hereinbrach. Wieder der skeptische Bauch. Der sich von da an immer öfter melden sollte. Die finstere Ahnung aussendend, eine teure Torheit begangen zu haben. Papperlapapp, du dummes, untrügliches Grundgespür für dich selbst und die Welt. Hier muss nur alles erst mal an seinen Platz kommen, dann wird das schon noch heimelig! Die einzige Emmi ermutigte mich, Familienfotos und auch meine wichtigsten Texte mal prominent aufzuhängen. Ist ja unser Ort, unser Zuhause. Wie wir da saßen und meine kleinen Erinnerungen und ausgedruckten Leistungen einrahmten, da war auch ich sehr gerührt und dankbar für den Gang der Dinge. Und hegte Hoffnung, endlich ein Heim gefunden zu haben. Das war wahrscheinlich mein Höhepunkt unserer Zeit hier, das letzte Sternsekündchen aus dem Sekt.

Die einzige Emmi lachte anfänglich noch darüber, dass die Freier auch sie für eine Anbieterin halten, auf ihre Brüste glotzen, sogar grapschen und fragen, ob sie „gerade frei" sei. Und nach dem Preis. Ebenso die Zuhälter, die dadurch sichergehen wollten, dass da keine von der Konkurrenz angerückt ist. Emmi rang mit einigen sich widersprechenden feministischen Interpretationen ihres neuen Umfelds, ihrer neuen Lebenslage. Mit ihrem Bauchbewusstsein. Und ich konnte da nur so und soviel emotional auffangen. Für meinen Teil etwas erstarrend, wenn plötzlich eine Anbieterin hinter einem Auto hervorsprang und „Blasi, Blasi" rief. Das ist einfach nicht auf dem Radar der Erwartungen, wenn man morgens zu Rossmann losläuft, um Entkalker für die Kaffeemaschine zu kaufen. Mit der Zeit habe ich mir immerhin eine Standardantwort zurechtgelegt: „Vielleicht ein andermal, schöne

Frau." (Ich finde das eine recht respektvolle Wortwahl. Die einzige Emmi findet sie nicht so gut.)

Ehrlicherweise versuchte ich recht lange, mich nicht zu sehr am Alltag der Anbieterinnen, und auch an ihnen selbst, festzusehen. Am ehesten als Strategie, die erdrückende Ungerechtigkeit, Negativität, Gewalt, Verzweiflung und all den Schmerz um uns herum auszusperren. Dennoch fiel mir bald auf, wie sehr der Beruf einer Anbieterin von Warten geprägt ist. Oft stundenlang auf der Stelle stehen und warten – um etwas zu tun, was man nicht will. Zumindest nehme ich das an.

Am meisten mag ich die etwas üppigere Dame gegenüber, weil sie so oft tanzt. Elegant und lässig. Vor allem aber sich selbstbewusst in den Fenstern der geparkten Autos betrachtend. Ich habe auch den Eindruck, dass sie die besten Verhältnisse zu ihren Kunden pflegt. Besonders zu diesem einen mittelalten Mann, der fast immer ein süßlich dümmliches Lächeln bekommt, wenn er sie sieht. Die Frau, die fast direkt vor meinem Arbeitszimmer anschafft, erinnert mich an eine Jugendfreundin. Manchmal hält sie mit einem glatzköpfigen

Mann Händchen, dem ein „Café“ in der Nähe gehört. Ebendort traumwandelt auch oft eine junge, schwarze Frau. Sie telefoniert meist während der Arbeit über ihre Headphones. Schminkt sich nicht besonders, scheint auch nicht allzu sehr gefallen zu wollen. Sie hat eine natürliche Schönheit an sich und wirkt von allem um sie herum irgendwie unangetastet.

Manchmal sind es sehr alte Männer, die mit sehr jungen Frauen einig werden. Oft genug sind es auch attraktive junge Männer, die auf die Dienste zurückgreifen. Oder gesetzte Männer mit dicken Bäuchen, die auf eher gesetzte Damen stehen, die auch nicht mehr die engsten Kleidchen zur Arbeit tragen. Alle Männer, die es gibt, kommen hierher. Vorbei an unseren Fenstern.

Wobei ich mir inzwischen gar nicht mehr sicher bin, was ein Fenster eigentlich ist. Und was es genau tut. Die Definition eines Fensters lautet: „Meist verglaste Öffnung, die Licht (und Luft) in einen geschlossenen Raum dringen lässt.“ Beim Fenster zum Straßenstrich dient diese Öffnung leider glasklar als Verschluss. Und Licht? Licht ist ein launisches Element, es „dringt" nicht, es bleibt einfach fern, wenn man im Erdgeschoss steckt. Stolziert stattdessen selbstherrlich weiter, segnet die höher Berufenen. Den Herrn Hirsch zum Beispiel, im dritten Stockwerk, mit Balkon. Ein Balkon, oh, ein Balkon. Mehrere fette Zimmer, und ich undankbares Aas geiere nach einem Balkon. Wahrscheinlich, weil eben noch grün gekaufte Trauben auf unserem Tisch prinzipiell grau aussehen. Weil draußen der Sommer strahlte, aber wir das nur theoretisch bejahen konnten, von unserem Dunkelwunder aus. Im Pulli vor die Tür tretend, wo die Welt mit Rekordhitze rang. „Okay, etwas schattig bei uns", lieb-leugnete ich weiter. „Eher eine Nachtwohnung", lieb-leugnete Emmi ihrerseits. Und die Fenster zum Innenhof? Sie würden lachen, wie regelmäßig die Menschen ihren Müll wegbringen, wenn man will, dass sie es nicht tun. Sie würden wahrscheinlich ebenfalls darüber lachen, wie sehr ein Glas-Container im Hof einem den Orgasmus verderben kann. Erst recht, wenn Sex wenige Meter weiter zur Ware abgetötet wird.

Freitagabend, Emmi auf einem Junggesellinnenabschied in Gotha. Ich hockte also allein im Salon und hörte die Straße durch die gekippten Fenster hindurch. So unmittelbar, als säße sie mit auf der Couch. „Scharmuta", brüllten Typen auf Arabisch im Vorbeifahren. „Hure." Murmeln, Gelächter, streitende Junkies, Kreischen, Polizeisirenen, Krankenwagen, Vengaboys (manche Anbieterinnen bringen Boomboxen zu ihren Wochenendschichten mit). Ich weiß nicht, wie lange ich so mit dem Strich auf unserem Sofa saß. Oder warum ich mich nicht dazu überwinden konnte, wenigstens eine Lampe anzuknipsen. Nur die Kristallplättchen der Kronleuchter fluoreszierten ein wenig vom hereindringenden Laternenlicht. Allerdings auch das irgendwie bedrohlich. Warum fühlst du dich hier so unwohl? Hast du wirklich ein so ausgeprägtes Sozialgewissen? Bist du so sensibel? Emmi sagt das immer über uns. Oder ist die Wunderwohnung einfach furchtbar? Fehlt dir ein Balkon oder Freiheit für alle? Lässt sich das überhaupt trennen? Haben sich die Mauern deines Heims mit fremdem Leid vollgesogen, und nun tropft es dir in Leib und Seele? Hast du deshalb die einzige Emmi so vollgenölt, nur weil sie die Pfanne stehen gelassen hat? Alles ist jetzt eingerichtet und an seinem Platz – aber du stehst hier neben dir!

Ich wusste da bereits, dass wir einen Fehler begangen hatten, und beging doch den Fehler, es weiter nicht wissen zu wollen. Erstaunlich: Je notwendiger eine Wahrheit ist, desto deutlicher drängt sie auch nach Anerkennung. Und dennoch sind es in der Regel ebendiese Wahrheiten, die am schwersten eingestanden werden.

„Ich habe echt Probleme, mich an diese Umgebung zu gewöhnen“, brach es immer mehr aus der einzigen Emmi aus. Anfänglich noch durch ein „aber ich schaff das schon“ abgelöscht.

Unsere zur Straße herausgehenden Zimmer, sehr fein gestrichen und mit neuen Möbeln eingerichtet, hörten wir nach und nach auf zu nutzen. Zogen uns zurück. Immer mehr in einer mehrräumigen Einraumwohnung lebend. Ungefähr in dieser Phase sind auch die ersten Motten aufgetaucht. Wie die parasitären Vorboten einer hässlichen Erkenntnis. Aber zu Emmi sagte ich immer noch nichts aus dem Bauch heraus – um ihr das Wunder nicht endgültig zu verderben. Und sie, die immer mehr Angst bekam, abends allein rauszugehen, sprach sich ebenfalls nicht aus, um wiederum mir nicht das Wunder abzuwürgen. In dieser Phase kaufte sie stattdessen exorbitant viele Blumen und stellte sie in der pieksauberen Wohnung auf. Die welke Wirklichkeit kam dann bei einem Kerzenlichtdinner im Salon heraus. Vor uns das warm flackernde Flämmchen, im Hintergrund das Blaulicht der Polizeisirenen.

„Ich will hier nicht mehr sein", gestand die einzige Emmi. Endlich.

Wobei, vielleicht habe ich es auch zuerst ausgesprochen. Und mich kurz besser gefühlt. Dann wieder schlechter. Bauchkrämpfe: Ist es überhaupt zulässig, eine unglückselige, aber exquisite Wohnung zu verlassen? Darf man denn so herzdumm sein, bei der momentanen Marktlage? Mitten in der Inflation! Macht uns das nicht zu wählerischen Schweinen? Was haben denn bitte Emotionen mit Wohlstand zu tun?

Bei der Geburtstagsparty sagen einem dann alle, was für eine tolle Wohnung man doch habe, und man möchte ihnen dafür in den Mund boxen. Dann leb du doch hier, du Arschloch! Die einzige Emmi und ich stritten bald öfter. Deutlich öfter. Und kämpften vergeblich gegen immer mehr Motten. Ich weiß nicht mal mehr genau, worüber wir eigentlich stritten, nur wo. Der Stuck sei mein Zeuge.

Und nun wissen wir beide leider auch, dass es gar nicht mal so leicht ist, ein Wunder wieder loszuwerden. Es ereignet sich, schön und gut, aber wie enteignet man ein Wunder? Tauschen, das ist die rettende, den ökonomischen Realitäten angepasste Strategie, rief ich aus. Tauschen gegen ein kleineres Apartment. Und zwar mit ebenfalls verzweifelten Großstädtern, die zu schnell zu viele Kinder bekommen haben. Frei nach dem ewigen Gesetz: Wer nicht rauszieht, muss ausziehen. Und tatsächlich, bald stand ein derartiges Tauschgeschäft im Raum. Ich glaube auch zu wissen, mit welchem Satz ich es verhunzt habe.

Emmi war gerade auf Arbeit, und so führte ich die Interessenten allein durch unser Zuhause. Dieses Mekka der Motten, Rohrreiniger der Fantasie, teuer gemietetes, grandios gefälliges Grab des Glücks. Die Interessenten: Linda und Paul. Ein britisch-jüdisches Opernsängerpärchen, unglaublich freundliche, glückliche Erscheinungen. Auch ihre zur Besichtigung mitgekommenen drei Kinder schienen lieb genug. Linda, Paul und ihre drei genetisch generierten Passivmieter bewunderten also erst die stolzen Stuckschnörkeleien. Anschließend die herrlichen, zur Wohnung gehörenden Kronleuchter. Staunende Oohs und Aaahs. Gingen von einem großzügigen Raum in den nächsten, durch altehrwürdige weiße Türen. Noch mehr Ohs und Ahs. Und dann lebt sogar noch die spanische Babysitterin der Kleinsten in unserem Haus! Was sollte noch schiefgehen?

„Wie ist es hier? Ist die Straße denn laut?", fragte Linda. Da schritt ich grinsend zum Fenster, öffnete es betont spielerisch und posaunte heraus: „Nein, es ist eigentlich nur laut, wenn die Polizei kommt. Vom Verkehr her nicht." Nun würde ich nicht sagen, dass Lindas Gesicht entglitten ist. Im Gegenteil: Unter relativ heftigem Beben formte sich äußerst präzise Panik in ihren Zügen. Zu allem Überfluss musste auch noch just in diesem Moment irgendein egoistisches Schwein da draußen dramatisch um Hilfe schreien. Eigentlich sollten Emmi und ich am Abend zur Gegenbesichtigung kommen. Aber Linda und Paul gaben uns ebenso entschuldigend wie endgültig zu verstehen, dass das nicht mehr nötig sei.

Kein Problem, dann wechseln wir eben mit Vivien und Harald. Die arbeiten in der – zum Heulen idyllischen – Nebenstraße. Wissen also, worauf sie sich hier einlassen. Die internationale Schule nebenan ist auch wie prädestiniert für die ältere Tochter. Bei den beiden kamen wir sogar bis zur Gegenbesichtigung. Eine gewöhnliche, uns an diesem Punkt aber schon paradiesisch erscheinende Wohnung in Charlottenburg. Und der liebevollste kleine Babyjunge auf Viviens Arm. So offen, so umarmend, schon alle Liebe der Welt in seinem kleinen Körperchen. Bei denen waren wir dann fast erleichtert, als sie absagten und wir wussten, dass der Kleine nicht hier landet.

Ich tarierte eine neue Tauschtheorie aus: ein schwules Pärchen, ohne Kinderwunsch, das wäre die perfekte Targetgroup. Blöd nur, dass keine Tauschanfragen mehr kamen. Zurück zu den regulären Besichtigungen also. Zurück zu null, aber mit schmerzlich viel ausgegebenem Geld und noch mehr verausgabtem Enthusiasmus, Kraft und Zeit. Sekt ohne Sterne schmeckt schal. Wundersuche irgendwo in Steglitz: „Schön, dass Sie alle gekommen sind“, sagt Frau Pacewska zu den siebzig vor der Haustür wartenden Wohnungsbewerbern.

Wir warten weiterhin im Wunder, dass es vorbeigeht. Wahrscheinlich werden wir hier sterben. Zu wissen, dass man sich selbst so bereitwillig, geradezu euphorisch in die Scheiße manövriert hat, ist mehr als ärgerlich. Dass der kaputte deutsche Immobilienmarkt einen erst dazu konditioniert hat, weil man eine Wohnung, weil man etwas verfügbaren Lebensraum gleich für ein Wunder hält, tröstet da nur wenig.

„Ich fasse es nicht, dass wir jeden Monat so viel Miete zahlen und dafür so wenig Lebensqualität bekommen.“

Dieser Satz von der einzigen Emmi, er ist ganz schön sesshaft geworden in meinem Kopf. Vielleicht weil ich derzeit absolut nicht bestimmen könnte, was Lebensqualität wirklich ausmacht. Kronleuchter und Stuck jedenfalls nicht. Der eigene Bauch, der weiß es wohl meistens am besten. Leider ist er fast ebenso oft unverbesserlich weltfremd.

Bisher bei Novellix auf Deutsch erschienen

Nr. 1 Annemarie Schwarzenbach *Eine Frau zu sehen*
Nr. 2 Selma Lagerlöf *Die Geisterhand*
Nr. 3 Charlotte Perkins Gilman *Die gelbe Tapete*
Nr. 4 Simone de Beauvoir *Marcelle*
Nr. 5 Jane Austen *Die drei Schwestern*
Nr. 6 Judith Hermann *Träume*
Nr. 7 Virginia Woolf *Lappin und Lapinova*
Nr. 8 Stefan Zweig *Das erste Wort über den Ozean*
Nr. 9 Anke Stelling *Heilsversprechen*
Nr. 10 Sara Stridsberg *Wir waren Raubtiere*
Nr. 11 Daniela Dröscher *Ophelia, mach hinne*
Nr. 12 Ingvild H. Rishøi *Wir können nicht allen helfen*
Nr. 13 Lena Gorelik *Keine Weihnachtsgeschichte*
Nr. 14 Hans Fallada *Weihnachten in Berlin*
Nr. 15 Sarah Khan *Weihnachten mit Hüsniye*
Nr. 16 Selma Lagerlöf *Ein Weihnachtsgast*
Nr. 17 Astrid Lindgren *Allerliebste Schwester* und *Mirabell*
Nr. 18 August Strindberg *Ein Puppenheim*
Nr. 19 Stig Dagerman *Die Kälte der Mittsommernacht ist hart*
Nr. 20 Selma Lagerlöf *Ein Stück Lebensgeschichte*
Nr. 21 Jackie Thomae *Sagrada Familia*
Nr. 22 Dmitrij Kapitelman *Überm Strich*
Nr. 23 Till Raether *Hauptsache, dir gefällt's*
Nr. 24 Katrin Schumacher *Stadt der Füchse*

Bisher bei Novellix auf Englisch erschienen

Virginia Woolf *Lappin and Lapinova*
D.H. Lawrence *Sun*
Katherine Mansfield *Bliss*
Charles Dickens *Horatio Sparkins*
Astrid Lindgren *Most Beloved Sister & Mirabelle*
August Strindberg *Frictions*
Selma Lagerlöf *The Silver Mine*
Karin Boye *Ella Breaks Free*
Oscar Wilde *The Nightinggale and the Rose…*
Mary Shelley *The Trial of Love*
Leo Tolstoy *After the Dance*
Virginia Woolf *The Legacy*
Karen Blixen *The Pearls*
Henrik Pontoppidan *The Grim Reaper*
Virginia Woolf *Kew Gardens*
James Joyce *The Boarding House*
Edith Wharton *The Quicksand*
Katherine Mansfield *The Garden Party*